# Leuke verjaardagsideeën voor meisjes

Maria-Regina & Michael Altmeyer

# Tijd voor een feestje!

Een verjaardag is een bijzondere dag voor ieder kind: er komt bezoek, het kind krijgt cadeautjes en iedereen heeft zin in het feest en in spelletjes. En een verjaardagsfeest wordt nog leuker als het huis en de feesttafel zijn versierd!

In dit boekje laten we u zeven projecten zien voor meisjesfeestjes. Wilt u een feest organiseren voor een stel giebel-kippetjes of stoere meiden? Of moet het een vrolijk vlinderfeest worden? Ook een feest voor felle kleuren valt altijd in de smaak. En wat is er leuker op een verjaardag in de winter dan een blauw-wit sneeuwvlokkenfeest? Bij elk project zitten uitnodigingen, tafelversieringen en slingers. Ook vindt u kleine bedankjes voor gasten en knutselideetjes, om op het feestje zelf met de meisjes te maken. Vraag uw dochter gewoon welk thema ze het leukste vindt en begin een paar dagen van tevoren met de voorbereidingen. Zo heeft u alles op tijd klaar en kunt u zelf ook genieten van een gezellige dag. We wensen u en uw dochter een fijne verjaardag en veel knutselplezier toe!

*Marie-Regine Schmeye*
*Michael Pflege*

## Materialen en technieken

### Papier & karton
Bij de meeste projecten in dit boekje wordt papier gebruikt. Hiervoor zijn knutselpapier en -karton met een dikte van 130 en 220 g/m$^2$ geschikt. Dit papier is in allerlei maten, kleuren en patronen in de hobbywinkel verkrijgbaar. Ook steviger fotokarton (300 g/m$^2$) is hiervoor prima te verwerken. Erg mooi is ook fotokarton met een patroontje of in verschillende kleuren, waar u de leukste verjaardagsknutsels van maakt.

### Benodigdheden
De volgende materialen en gereed-schappen worden bij de meeste projecten gebruikt en worden daarom niet elke keer apart aangegeven:

- transparant papier (kalkpapier) en carbonpapier om de sjablonen over te trekken
- dun karton voor de sjablonen
- snijplaat
- schaar
- cutter (niet geschikt voor kinderen!)
- liniaal
- viltstiften
- potloden en gelpennen in allerlei kleuren
- vlakgum
- stompe en scherpe naald
- perforator
- 3D-foamblokjes, zelfklevend

2

## De sjablonen overnemen

De sjabloondelen voor de projecten vindt u midden in dit boekje. Er zijn twee manieren om de sjablonen over te nemen: u kunt carbonpapier tussen de sjabloon en het te gebruiken papier of karton leggen of u trekt de afzonderlijke sjabloondelen over op het kalkpapier, waarna u licht met potlood over de lijnen wrijft. Leg het kalkpapier dan met de ingewreven kant op het papier of karton en trek de lijnen nog een keer over. Hierna kunt u de sjabloondelen uitknippen of uitsnijden. Nog zichtbare potloodlijntjes kunt u later met gum verwijderen.

## Gezichten overtrekken

Om gezichtjes en andere details op het papier over te nemen doet u hetzelfde. Draai na het overtrekken het transparante papier om, wrijf de lijnen in met potlood en trek daarna de lijnen nog een keer over. U kunt de lijnen die zo worden doorgeslagen dan overtrekken met viltstift of een kleurpotlood.

## Sjablonen hergebruiken

Als u een sjabloon meerdere keren nodig heeft, is het handiger om een mal te maken. Trek hiervoor de sjabloon over op kalkpapier, knip de vorm uit (dit hoeft niet heel netjes), plak hem op karton en knip hem op de randen uit. Leg de mal op het papier of karton dat u wilt gebruiken en teken de omtrek met potlood.

## Papier en karton knippen

Gebruik het liefst een schaar met een scherpe punt. Met een cutter kunt u heel nauwkeurig rechte lijnen, bochten en ook uitsneden uit sjablonen snijden. Een (metalen) liniaal is hierbij erg handig. Leg de liniaal langs de lijn waarlangs u wilt snijden en trek de cutter erlangs. Om met een cutter te snijden heeft u een stevige snijplaat nodig. Knutselt u met kinderen, dan kunt u de cutter het beste in de kast laten liggen. Kinderen kunnen het beste een speciale kinderschaar gebruiken.

## De projecten lijmen

Voor de meeste projecten kunt u gewone alleslijm gebruiken. Een lijmpistool is heel geschikt om dingen stevig aan elkaar te lijmen (alleen door een volwassene te gebruiken!). Kinderen vinden lijmstiften vaak erg prettig om mee te werken. Gebruik niet te veel lijm en breng hem niet te dicht langs de randen op, om knoeien te voorkomen. Met 3D-foamblokjes kunt u heel snel leuke effecten bereiken: zo komt een klein sjabloondeel iets omhoog van de ondergrond. Kijk voor het plakken van de diverse sjabloondelen goed naar het voorbeeld en plak de delen in de juiste volgorde op elkaar.

## Checklist voor het feest

- Drie tot vier weken voor de verjaardag: maak een planning, gastenlijst en kies een thema samen met de jarige.
- Deel de uitnodigingen op tijd (twee weken van tevoren) uit en vraag om een bevestiging. Informeer naar allergieën.
- Begin ook twee weken van tevoren met het maken van de versieringen.
- Maak een lijst met spelletjes en zoek de benodigde materialen en gereedschappen bij elkaar.
- Versier op de dag voor de verjaardag de kamer met de zelfgemaakte versieringen.

## Materialen:

### Voor alle projecten
• Acrylverf wit, roze, lichtblauw

### Uitnodiging
• Knutselkarton geel, lichtblauw
• Satijnband roze, 3 mm breed,
  60 cm lang

### Tasje
• Envelop geel, DIN C6
• Knutselkarton lichtblauw

### Rietje/berenspiesje
• Knutselkarton geel, roze,
  lichtblauw
• Stansvormpje Bloem, 1,3 cm Ø
• Satéprikker
• Rietje

### Berenslinger
• Knutselkarton geel, roze,
  lichtblauw
• Stansvormpje Bloem, 1,3 cm Ø
• Satijnband roze, 7 mm breed,
  per strik 25 cm lang
• Stoffen lint of cadeaulint wit

*Sjabloondelen 1a-d,
sjabloonvel A*

## Uitnodiging
*(sjabloondeel 1a)*
Knutselkarton lichtblauw, 21 x 15 cm, dubbelvouwen tot een kaart. Knutselkarton geel, 14 x 9,5 cm, op maat snijden en versieren met vingerafdrukken: verdeel wat acrylverf op een plat bord. Doop een vinger in de verf en druk deze op het karton. Teken, zodra de verf gedroogd is, het gezichtje op de beer en plak de gele kaart met 3D-foamblokjes op de vouwkaart. Bind een lintje om de kaart langs de vouwlijn.

## Tasje
*(sjabloondeel 1b)*
Versier de envelop met vingerafdrukken (zie de uitnodiging). Vouw na het drogen de onderste rand van de envelop 2 cm naar boven en weer naar buiten. Vouw de zijkanten schuin naar het midden en weer naar buiten. Keer de envelop om en herhaal de vouwen nog een keer. Steek een hand in de envelop en breng hem in vorm. Plak de bodemflapjes links en rechts tegen de onderkant vast met plakband. Verstevig de bodem met een stukje karton van 12 x 4 cm. Versier voor het handvat een reep karton van 18 x 1,5 cm en plak dit vast.

## Rietje/berenspiesje
*(sjabloondeel 1c)*
Knip de sjabloondelen uit en versier ze. Stans een gaatje op de plek van de mond voor het rietje. Stans de bloempjes uit en plak ze vast met 3D-foamblokjes. Plak het kraagje vast op de achterkant van de berenkop. Verf voor het berenspiesje een satéprikker wit en zet hem met plakband achter tegen de berenkop vast.

## Berenslinger
*(sjabloondeel 1d)*
Knip de sjabloondelen uit, stans er gaatjes uit en versier ze. Plak de pootjes en uitgestanste bloempjes vast met 3D-foamblokjes. Rijg het lint om en om door de gaatjes van een blauwe en een gele beer. Versier de slinger met strikjes van satijnband.

Berenfeestje

# Berenfeest

## Materialen:

### Voor alle projecten
- Knutselkarton geel, lichtblauw
- Acrylverf wit, roze, lichtblauw

### Naamkaartjes
- Satijnband roze, 3 mm breed, 40 cm lang

### Lieve berenketting
- Satijnband roze, 3 mm breed, 20 cm lang
- Nylondraad
- Snoepbeertjes
- Rietje

### Servetversiering
- Satijnband roze, 3 mm breed, 40 cm lang
- Servet

### Berenharmonica
- Knutselkarton roze
- Stansvormpje Bloem, 1,3 cm Ø
- Satijnband roze, 7 mm breed, per beer 25 cm lang
- Keukenrol (leeg), 3 cm Ø, per beer 5,5 cm lang
- Schrijfpapier

*Sjabloondelen 1e-1g, sjabloonvel A*

## Naamkaartjes

Vouw het lichtblauwe karton, van 10 x 10 cm, doormidden en versier het met een vingerafdruk (zie uitnodiging, blz. 4). Plak er een gele rechthoek op van karton, 9,5 x 4,5 cm. Schrijf de naam op het kaartje. Bind bij de vouwlijn een lintje om de kaart.

## Lieve berenketting
*(sjabloondeel 1e)*
Snijd een rietje in stukken van 1,5 cm lang. Rijg om en om snoepbeertjes en stukjes rietje aan een nylondraad. Knip voor de button cirkels uit lichtblauw en geel karton, versier ze met een vingerafdruk en plak ze op elkaar. Stans een gaatje bovenin en bind de button met satijnband vast aan de ketting.

## Servetversiering
*(sjabloondeel 1f)*
Knip twee vierkantjes uit lichtblauw en geel karton en versier het gele vierkantje met een vingerafdruk. Plak de twee vierkantjes op elkaar. Stans een gaatje boven in de versiering, haal hier een stukje satijnband doorheen en bind dit om het servet vast.

## Berenharmonica
*(sjabloondeel 1g)*
De harmonica kan zo lang worden gemaakt als u zelf wilt. Knip het gewenste aantal beren uit en versier ze met potloden of viltstiften. Elke beer krijgt een satijnen strikje. Stans bloempjes uit en plak deze vast. Beplak even veel keukenrollen met knutselkarton, 12 x 5,5 cm. Maak de onderkant van de keukenrol dicht met een bodem van karton, 3 cm Ø. Plak bij elke beer een keukenrol op de rug vast.

### Tip
*Schrijf op een mooi vel papier een spelletje, rol dit op en steek dit in de keukenrol. Tijdens het feestje mag steeds iemand zo een spelletje uitkiezen.*

Uitleg en materialen, zie blz. 10/11

# Stoere meiden

*Afbeelding op blz. 8/9*

## Materialen:

### Uitnodiging
- Knutselkarton huidskleur, geel, oranje, paars

### Knijperfiguurtje
- Knutselkarton huidskleur, oranje, lichtgroen, paars, lichtbruin
- Houten wasknijper
- Acrylverf wit, oranje, lichtgroen

### Rietje/spiesje
- Knutselkarton in felle kleuren
- Cocktailprikker
- Rietje

## Uitnodiging
*(sjabloondeel 2a)*
Vouw het gele knutselkarton, 21 x 15 cm, dubbel en versier het met rode stippen. Knip de sjabloondelen uit en versier ze met viltstift en kleurpotlood. Plak het haar voor en achter op het hoofdje. Plak nu het hoofdje achter tegen de vouwrand van de kaart. Schrijf de uitnodiging op de strik. Plak de handjes, de strik, de neus en de bloempjes met 3D-foamblokjes vast.

## Knijperfiguurtje
*(sjabloondeel 2b)*
Verf de houten knijper met acrylverf in een felle kleur en versier hem met stippen (dit gaat het gemakkelijkst met een satéprikker). Knip de sjabloondelen uit, kleur ze in met viltstift en potlood, plak alles op elkaar en plak het figuurtje op de knijper. Knip voor het naamkaartje een rechthoek van 7 x 2 cm uit het karton en schrijf de naam erop.

## Rietje/spiesje
*(sjabloondelen 2c-2d)*
Knip de ballon en vogel uit karton en versier ze met viltstift en kleurpotlood. Plak de benen en de snavel van de vogel erop. Plak de figuurtjes op cocktailprikkers. Knip de sjabloondelen voor het meisje uit, versier ze en plak ze op elkaar. Stans een gaatje op de plek van de mond en steek het rietje erdoor.

## Vlechten

*(sjabloondeel 2e)*

Knip een reep geel karton van 56 x 4 cm en versier deze met vogels en bloempjes. Maak een ring van de reep en zet hem vast met plakband of nietjes. Knip twee rechthoeken uit crèpepapier van 40 x 25 cm. Knip deze om de 2 cm in. Stop 2 cm voor het einde. Bind de niet-ingeknipte kant bij elkaar en maak een mooie vlecht. Plak de vlechten met lijm tegen de binnenkant van de ring. Versier de vlechten met satijnband.

## Tafelpoppetje

*(sjabloondelen 2b, 2d en 2f)*

Knip de sjabloondelen uit en kleur ze in. Vouw het lijfje langs de stippel-lijn. Plak de handjes op het bloemdraad en zet het met plakband vast in de mouwen. Plak de onderdelen van het hoofd vast en zet het hoofdje op het lijfje. Plak de schoentjes vast met 3D-foamblokjes.

## Tip

*Schrijf de spelletjes in de 'buik' van het poppetje, geef elk poppetje een nummer en dobbel om welk spel aan de beurt is.*

## Slinger

*(sjabloondeel 2g)*

Knip meerdere ballonnen en vogels uit en versier ze. Knoop krullend lint vast aan de onderkant van de ballon. Geef de vogels elk een snavel en twee benen. Zet de ballonnen met kleine knijpertjes vast aan het slingerlint, en stans twee gaatjes in de vogels en schuif ze aan het lint.

## Vlechten

- Knutselkarton geel
- Crèpepapier oranje
- Satijnband paars, 15 mm breed, 80 cm lang

## Tafelpoppetje

- Knutselkarton in felle kleuren
- Bloemdraad terracotta, 2 mm Ø, per arm 3 cm lang

## Slinger

- Knutselkarton in felle kleuren
- Cadeaulint of stoffen lint roze
- Kleine knijpertjes

*Sjabloondelen 2a-2g, sjabloonvel A*

Uitnodiging
voor een
*feestje*

1

2

3

Victoria

Uitleg en materialen, zie blz.14/15

# Gekke kippetjes
*Afbeelding op blz. 12/13*

## Materialen:

### Uitnodiging/servethouder
- Knutselkarton geel, lichtgroen, roze, rood, blauw

### Kippenprikkers
- Knutselkarton wit, geel, lichtgroen, roze, rood, blauw
- Cocktailprikker

### Verrassingsbonbon
- Knutselkarton wit, geel, roze, rood, blauw
- Wc-rolletje (leeg)
- Crèpepapier rood
- Satijnband lichtblauw, 3 mm breed, 40 cm lang

## Uitnodiging/servethouder
*(sjabloondeel 3a)*
Knip de basisvorm en de diverse onderdelen uit en versier ze. Vouw de kip langs de stippellijn. Teken de lijntjes op de buik. Plak de snavel, buik en staartveren vast met 3D-foamblokjes. Plak de kam vast en plak de voetjes tegen de onderrand. Schuif de vleugeltjes in elkaar om de kip vast te zetten. Schrijf de uitnodiging op de buik of op een apart velletje papier. Knip voor de servethouder nog een naamkaartje van 7 x 2 cm uit, schrijf hier de naam op en plak het vast. Schuif er een servet tussen.

## Kippenprikkers
*(sjabloondeel 3b)*
Knip de sjabloondelen uit en versier ze. Plak de kam en de kraag achter het hoofd en zet de snavel vast met een 3D-foamblokje. Zet de prikker met plakband vast tegen de achterkant.

## Verrassingsbonbon
*(sjabloondeel 3c)*
Kort het wc-rolletje in tot een lengte van 7 cm. Versier een rechthoekig stuk knutselkarton van 15 x 7 cm met stippen. Plak twee stroken crèpepapier van 20 x 10 cm tegen de uiteinden van de wc-rol en knip het papier in. Beplak nu de wc-rol met het karton. Knip de delen van de kip uit, versier ze en zet de kip in elkaar. Plak de kip achter tegen de wc-rol en de voetjes tegen de voorkant. Stop de verrassing in de wc-rol en bind het crèpepapier dicht met satijnband of een lintje. Maak een naamplaatje van 2 x 7 cm, zet de naam erop en plak het op.

## Snoepbakje
*(sjabloondeel 3d)*
Knip de deksel van
een kleine eierdoos en
snijd de opstekende punten in de
bodem in, zodat u daar de hanenkam in kunt
schuiven. Verf de eierdoos met groene acrylverf en
maak de 'kippennekken' wit. Versier de eierdoos
met een satéprikker met witte stippen. Knip de
snavel en kam uit karton. Teken de ogen en mond.
Plak de snavel op en schuif de hanenkam in het
gleufje. Vul het bakje met snoep of ander lekkers.

## Minikippetjes
*(sjabloondelen 3d-3e)*
Knip de 'hoedjes' uit een eierdoos, snijd ze aan de
bovenkant in en verf ze met acrylverf in vrolijke
kleuren. Knip de sjabloondelen uit karton. Teken de
ogen, mond en getallen en zet de kippetjes in
elkaar.

## Tip
*Schrijf op een briefje hoe het spelletje gaat en
verstop dit onder het hoedje. Met een dobbelsteen
kan worden bepaald welk spelletje wordt gespeeld.*

## Slinger
*(sjabloondeel 3f)*
Knip de sjabloondelen voor de kippen en eieren uit
karton. Versier ze eventueel met potlood en viltstift
met strepen en leuke patroontjes. Plak voor de
benen 5 cm bloemdraad achter tegen de buik en
maak hier de voetjes aan vast. Plak de kam en
snavel vast en plak de staartveren tegen de achterkant. Stans gaatjes aan weerszijden van het
lichaam, rijg het cadeaulint erdoorheen en
maak zo een slinger van kippen. Plak de
vleugels vast met 3D-foamblokjes. Zet
tussen de kippen de eieren vast
met kleine knijpertjes.

## Snoepbakje
• Knutselkarton in lichtgroen,
  roze, rood, blauw
• Eierdoos (voor 6 eieren)
• Acrylverf wit, lichtgroen

## Minikippetjes
• Knutselkarton geel, lichtgroen,
  roze, rood, blauw
• Eierdoos
• Acrylverf wit, lichtgroen, roze

## Slinger
• Knutselkarton wit, geel,
  lichtgroen, roze, rood, blauw
• Bloemdraad wit, 2 mm Ø, per
  kip 10 cm lang
• Cadeaulint of stoffen lint geel
• Kleine knijpertjes

*Sjabloondelen 3a-3f,
sjabloonvel A*

# Snoepfeest

## Materialen:

### Voor alle projecten
- Papier met motief Magic Moments – Pop Art in vanille/goud

### Uitnodiging
- Knutselkarton geel, lichtblauw, roze

### Bril
- Fotokarton (300 g/m²) oranje
- 2 elastiekjes paars, 1 mm Ø, elk 30 cm lang

### Spekjes- of snoepspiesje
- Knutselkarton geel, oranje, lichtblauw, roze
- Satéprikker
- Acrylverf geel, lichtblauw, roze
- Marshmallows/spekjes

### Tasje
- Leeg melkpak
- Cadeaulint oranje, 2,5 cm breed, 30 cm lang

### Slinger
- Knutselkarton geel, oranje, groen, lichtblauw, roze, paars
- Rietje
- Cadeaulint of stoffen lint zilver

*Sjabloondelen 4a-4d,*
*sjabloonvellen A en B*

## Uitnodiging
*(sjabloondeel 4a)*
Knip een hoek uit de kaart, knip het voorste deel nog kleiner uit patroonpapier en plak dit op. Knip de bloem en de cirkel uit en plak ze op elkaar. Plak de voorste kaartflap langs de rand dicht, zodat de bloem erin kan worden geschoven en vastgeplakt. Versier de bloem, zet achterop info over het feest.

## Bril
*(sjabloondeel 4b)*
Knip de basisvorm uit. Knip de bloemvorm nog uit patroonpapier en plak dit erop. Stans aan de zijkanten steeds twee gaatjes voor het elastiek.

## Spekjes- of snoepspiesje
*(sjabloondeel 4c)*
Knip de cirkel uit en knip hem in. Versier de randen met viltstift. Knip nog wat kleine decoraties uit patroonpapier en plak ze op de cirkel. Verf de satéprikker en zet deze met plakband vast achter op de cirkel. Knip een naamplaatje van 14 x 2 cm, vouw hem dubbel en schrijf de naam erop. Versier hem verder en plak hem om het spiesje heen vast. Prik er een paar spekjes of marshmallows aan.

## Tasje
Knip het melkpak tot een bakje van 9,5 cm hoogte. Meet de omtrek en knip een stuk knutselpapier op maat (met extra plakstrip). Beplak het tasje met dit papier. Stans gaatjes in de zijkanten, trek hier het lint doorheen.

## Slinger
*(sjabloondelen 4c-4d)*
Knip de bloemen en cirkels uit en versier ze. Knip cirkels uit patroonpapier en plak deze in het midden. Knip voor de lolly's rietjes af tot 11 cm, zet ze met plakband vast en maak een strik van cadeaulint. Plak op de achterkant van alle versieringen horizontaal een stukje rietje van ongeveer 2 cm. Trek het lint hierdoorheen.

# Snoep-versieringen

## Materialen:

### Voor alle projecten
- Papier met motief Magic Moments – Pop Art in vanille/goud

### Snoepbakje
- Crèpepapier goud
- Krantenpapier
- Ballon
- Behangplaksel
- Acrylverf roze

### Ketting
- Knutselkarton geel, oranje, groen, lichtblauw, roze, paars
- Stansvormpje Bloem, 2,5 cm Ø
- Haakkatoen

### Draaitol
- Rond bierviltje of kartonnen cirkel, ca. 11 cm Ø
- Dun potlood (of een satéprikker), ca. 9 cm lang

*Sjabloondeel 4e, sjabloonvel A*

## Snoepbakje

Blaas de ballon zo ver op dat hij een omvang heeft van ongeveer 40 cm. Scheur het krantenpapier in smalle repen. Maak het behangplaksel aan en beplak de ballon voor ongeveer driekwart met het papier. Breng in totaal zes laagjes aan en laat dit alles goed drogen. Prik de ballon stuk met een naald en haal de ballonresten eruit. Knip de bovenrand bij tot mooie schulpjes en vouw deze naar buiten. Verf het bakje met de roze acrylverf. Knip, terwijl de verf droogt, grote en kleine cirkels uit patroonpapier. Hiermee kunt u het straks versieren. Knip als laatste een reep golfkarton van 20 x 1,5 cm, maak hiervan een ring en plak deze langs de onderkant vast als steun.

## Ketting
*(sjabloondeel 4e)*
Knip voor de ketting driehoekjes uit kleurig papier. Rol deze driehoekjes vanaf de brede kant strak om een satéprikker en plak het uiteinde vast. Stans de bloempjes uit en prik of stans in het midden een gaatje. Rijg afwisselend bloempjes en staafjes aan een katoenen draad. Knoop de uiteinden vast.

## Tip
*Het knutselen van deze kleurige bloemenketting is erg leuk op het feestje met vriendinnetjes. Knip de driehoekjes voor de staafjes van tevoren en zet ze in een paar bakjes op tafel.*

## Draaitol
Beplak de boven- en onderkant van het bierviltje met kleurig papier. Prik een gat in het midden. Maak het gat zo groot dat een dun potlood of een satéprikker er net doorheen past. Steek het potlood of de satéprikker in het gat en zet hem goed rechtop.

Uitleg en materialen, zie blz. 22/23

# Vrolijk vlinderfeest

*Afbeelding op blz. 20/21*

## Materialen:

### Voor alle projecten
- Knutselkarton wit, huidskleur, lichtgroen, paars
- Fotokarton met motief Weidebloemen in lichtgroen/ groen

### Uitnodiging
- Briefpapier

### Rietje
- Rietje

### Knijperfiguurtje
- Bloemdraad wit, 2 mm Ø
- Houten kralen roze, 6 mm Ø
- Houten wasknijper
- Acrylverf wit, paars

### Verrassingsbeestje
- Wc-rol
- Bloemdraad wit, 2 mm Ø
- 4 piepschuimballetjes, 15 mm Ø
- 2 houten kralen roze, 6 mm Ø
- Acrylverf wit

## Uitnodiging
*(sjabloondeel 5a)*

Knip een grote en kleine vlinder uit. Snijd de grote vlinder op de lijntjes in. Schrijf de uitnodiging op mooi briefpapier, rol het op en schuif het in de grote vlinder. Schrijf de tekst op de kleine vlinder en plak deze op.

## Rietje
*(sjabloondeel 5b)*

Knip de vlinder uit (snijd hem op de lijntjes in), schuif hem om een rietje en versier naar wens.

## Knijperfiguurtje
*(sjabloondeel 5c)*

Verf de knijper met acrylverf en versier hem. Knip de sjabloondelen uit. Maak stippen met acrylverf en teken het gezichtje. Gebruik twee stukjes bloemdraad van 3 cm voor de voelsprieten en plak er houten kraaltjes op. Plak de kop en vleugels vast.

## Verrassingsbeestje
*(sjabloondeel 5d)*

Beplak de wc-rol met kleurig karton. Knip de sjabloondelen uit en versier het lieveheersbeestje met witte stipjes. Teken het gezichtje. Plak de voelsprieten, elk 3 cm lang, achter tegen de kop en plak er houten kraaltjes op. Verf de piepschuimballetjes, prik er stukjes bloemdraad van 6 cm in en zet ze met een drupje lijm vast. Plak de benen in het lijfje met plakband vast. Vouw de vleugels op de stippellijn omhoog en plak ze op de wc-rol. Plak het kopje en de hartjes erop. Verstop de verrassing in de buik van het lieveheersbeestje.

## Bloemenspiesje

*(sjabloondeel 5e)*

Knip de bloemen en blaadjes uit karton, versier ze naar wens en zet ze op de satéprikker vast.

## Zonneklep

*(sjabloondeel 5f)*

Knip de sjabloondelen uit. Stans gaatjes aan weerszijden van de zonneklep en zet de naam erop met een glitterpen. Versier de bloem. Maak voelsprieten van bloemdraad en houten kraaltjes en zet deze vast op de vlinder. Plak de bloempjes en vlinders op. Knoop elastiek vast aan de zonneklep.

## Vangbeker

*(sjabloondeel 5g)*

Versier het papier met witte stippen en vouw er een beker van. Prik een gaatje in de bodem, trek hier een rijgdraad doorheen en zet hem vast met een kraaltje van 4 mm Ø. Rij aan het andere uiteinde een kraaltje van 16 mm Ø en wikkel hier aluminiumfolie omheen. Teken het gezichtje, plak het op en maak nog voelsprieten van elk 3 cm.

## Snoepbakje

*(sjabloondelen 5a en 5h)*

Maak de rand van een conservenblik glad en beplak het blikje met kleurig karton of papier. Knip de sjabloondelen uit. Teken het gezichtje, maak de vlinder en plak hem op het blikje. Versier het blikje met nog meer bloemen.

## Slinger

*(sjabloondeel 5i)*

Vouw de servetten helemaal uit en knip ze in vier vierkanten. Vouw elk stuk diagonaal, versier het met kartonnen bloemen en hang ze over een lang lint of koord.

## Bloemenspiesjes
- Satéprikker
- Acrylverf groen

## Zonneklep
- Bloemdraad wit
- 2 houten kralen roze, 6 mm Ø
- Glitterpen felroze
- Elastiek paars, 1 mm Ø, 30 cm lang

## Vangbeker
- Knutselpapier lichtgroen, 20 x 20 cm
- Bloemdraad wit
- Houten kralen roze 2x 6 mm Ø, 1x 16 mm Ø, 1x 4 mm Ø
- Rijgdraad wit, 2 mm Ø, 30 cm lang
- Aluminiumfolie
- Acrylverf wit

## Snoepbakje
- Conservenblik, 6,5 cm Ø, ca. 10 cm hoog
- Bloemdraad wit
- 2 houten kralen roze, 6 mm Ø

## Slinger
- Servetten
- Cadeaulint

*Sjabloondelen 5a-5i, sjabloonvel B*

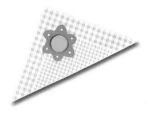

# In kabouterland

## Materialen:

### Voor alle projecten
- Knutselkarton wit, huidskleur, oranje, groen, roze, felroze, lichtblauw
- Stansvormpjes:
- Bloem, 1,5 cm Ø, 2,5 cm Ø, 3,5 cm Ø
- Hartje, 1 cm Ø, 2 cm Ø

### Uitnodiging
- Glitterpapier roze

### Prinsessenkroontje
- Kant-en-klare kroon (van karton)
- Glitterpapier roze
- Strassteentjes, 5 mm Ø
- Elastiek wit, 1 mm Ø, 35 cm lang
- Kartelschaar

### Rietje
- Glitterpapier roze
- Strassteentje, 5 mm Ø
- Stukje breiwol lichtbruin
- Naaigaren roze
- Rietje

### Slinger
- Fotokarton met motief Bloemen en vlinders in roze
- Stukje breiwol lichtbruin
- Naaigaren roze
- Haakkatoen

*Sjabloondelen 6a-6c, sjabloonvel B*

## Uitnodiging
*(sjabloondeel 6a)*

Knip de sjabloondelen voor het kasteel uit en vouw ze langs de stippellijn. Geef de contouren aan met potlood en teken de lijntjes. Plak het kasteel in elkaar. Plak de poorten en uitgestanste hartjes op. Knip de vlag uit voor de uitnodiging, zet de tekst erop en plak dit tussen de twee torens. Schrijf de informatie over het feest op de achterkant.

## Prinsessenkroontje

Stans grote hartjes uit het glitterpapier en plak deze op de kroon. Stans kleine hartjes uit, plak deze op de grote hartjes en versier ze nog met een strassteentje. Zet de kroon vast. Versier de onderrand van de kroon met een reep glitterpapier van 8 x 270 mm, die aan de bovenkant met een kartelschaar tot boogjes is geknipt. Maak het elastiek vast aan de kroon.

## Rietje
*(sjabloondeel 6b)*

Knip de sjabloondelen uit en zet het kaboutermeisje volgens de afbeelding in elkaar. Plak het gezichtje en het bloempje met 3D-foamblokjes op de muts; gebruik draadjes wol voor het haar en maak met naaigaren een strikje. Stans een gaatje voor de mond en steek hier het rietje doorheen. Plak het rietje met plakband vast op het kroontje.

## Slinger
*(sjabloondeel 6c)*

Knip de sjabloondelen uit en stans de bloempjes uit. Teken het gezichtje. Plak voor het haar draden wol van 17 cm tussen het gezicht en de muts. Bind een roze strikje om het haar en versier eventueel de bloempjes. Stans in elke bloem twee gaatjes. Rijg de kaboutermeisjes en bloempjes aan een stuk haakkatoen tot een slinger.

# Kabouter-versieringen

## Materialen:

### Voor alle projecten
- Knutselkarton in verschillende kleuren
- Glitterpapier roze
- Stansvormpje Bloem 1,5 cm Ø, 2,5 cm Ø, 3,5 cm Ø
- Strassteentje (zelfklevend), 5 mm Ø

### Kabouterdoosjes
- Luciferdoosjes 5,3 x 3,6 x 1,5 cm
- Stukje breiwol lichtbruin
- Naaigaren roze

### Verrassingszakje
- Knutselpapier roze, groen, elk 12 x 12 cm

### Kaboutermutsje
- Fotokarton met motief Bloemen en vlinders in roze
- Elastiek wit, 1 mm Ø, 35 cm lang

### Snoepbakje
- Wc-rol
- Stansvormpje Hartje 1 cm Ø
- Naaigaren roze

*Sjabloondelen 6d-6g, sjabloonvel B*

## Kabouterdoosjes
*(sjabloondeel 6d)*
Versier de repen karton van 11,5 x 5,3 cm met stippen en strepen. Beplak hiermee de doosjes en versier ze met een bloem. Knip de sjabloondelen uit en versier ze. Plak voor het haar stukjes wol van 8 cm tussen het gezicht en de muts. Bind een lintje van naaigaren om het haar. Plak de gezichtjes op de doosjes.

## Tip
*Vul de doosjes met een kleine verrassing en leg die voor iedere gast op tafel.*

## Verrassingszakje
Versier het knutselpapier met stippen. Vouw het papier diagonaal dubbel en vouw het weer uit. Vouw de zijpunten naar binnen net over de vouwlijn en zet de punten op elkaar vast met wat lijm. Knip de versieringen uit en stans de bloempjes uit. Teken het gezichtje. Plak de onderdelen op het zakje. Versier de kroon met een bloempje en een strassteentje. Vul het zakje met een verrassing om mee te nemen.

## Kaboutermutsje
*(sjabloondeel 6f)*
Knip de muts uit, maak er een hoedje van en zet het op de plakstrip vast. Stans gaatjes in het mutsje en knoop hier elastiek in vast. Versier de kaboutermuts met bloempjes en een strassteentje.

## Snoepbakje
*(sjabloondeel 6g)*
Versier een roze vel karton van 15 x 9,7 cm en plak dit om een wc-rolletje. Maak het rolletje aan de onderkant dicht met een cirkel van karton. Knip een zakje uit wit karton, versier dit en plak dit net als op de afbeelding vast. Maak de andere versieringen. Plak het haar achter tegen het hoofdje vast, plak het kroontje op en maak de strikjes. Plak het hoofdje achter tegen het wc-rolletje. Knip het naamkaartje uit, zet de naam erop en zet het kaartje op een reepje karton vast in het zakje.

uitnodiging

# Winterfeest
*Afbeelding op blz. 28/29*

## Materialen:

### Uitnodiging
- Fotokarton met kerstmotief
- Knutselkarton wit, blauw
- Stansvorm Sneeuwvlok 3,5 cm Ø
- Satijnband turkoois, 3 mm breed, 40 cm lang

### Sneeuwkroon
- Fotokarton met kerstmotief
- Knutselkarton wit
- Stansvorm Sneeuwvlok 3,5 cm Ø
- Glitterpen zilver
- Watjes

### Kaarshouder
- Drinkglas, ca. 9,5 cm hoog, ca. 8 cm Ø
- Knutselkarton wit, blauw
- Fotokarton met kerstmotief
- Uitstansvormpjes Sneeuwvlok 2,5 cm Ø, 3,5 cm Ø
- Satijnband turkoois, 10 mm breed, 50 cm lang
- Glitterpen zilver
- Waxinelichtje of kleine stompkaars
- Plakband, dubbelzijdig/transparant

### Sneeuwvlok
- Kopieerpapier wit

**30**

## Uitnodiging
*(sjabloondeel 7a)*

Knip de basisvorm uit karton en vouw het langs de stippellijn. Stans gaatjes op de aangegeven plekken en snijd de lijntjes in. Plak de uitnodiging op de plakstrips vast. Trek satijnband door de gaatjes en knoop het vast. Knip het kaartje uit, schrijf de tekst erop en plak het op de uitnodiging. Stans nog een sneeuwvlok uit en plak deze vast met een 3D-foamblokje. Doe de uitnodiging in de envelop.

## Sneeuwkroon
Maak een ring van een reep karton van 56 x 4 cm. Stans sneeuwvlokken uit en versier deze met een glitterpen. Laat ze goed drogen. Plak de sneewvlokken met 3D-foamblokjes op het kroontje en plak als sneeuw hier stukjes watjes tussen.

## Kaarshouder
Plak op 1 cm van de bovenrand satijnband rondom het glaasje. Leg er een knoop in en laat de uiteinden naar beneden hangen. Stans grote en kleine

sneeuwvlokken uit en versier ze met glitterpen. Laat ze drogen en plak ze op het satijnband. Zet een waxinelichtje of kaarsje in de houder. Knip voor de waxinelichtjes repen karton (voor de grote 2,5 x 21 cm, voor de kleine 1,6 x 14 cm) en maak hier een ring van. Versier ze met uitgestanste sneeuwvlokken.

## Sneeuwvlokken
*(sjabloondeel 7b)*
Als basis wordt een vierkant van wit papier gebruikt. Vouw het papier en knip het patroon uit. Vouw het papier weer uit om sneeuwvlokken te maken.

## Sneeuwpoppen
*(sjabloondeel 7c)*
Knip de vorm uit en
versier hem. Teken
het gezichtje. Vorm
een hoedje en plak het
op de plakstrip dicht. Knip een neusje en plak dat op
de sneeuwpop. Plak een pompon op zijn kop.

## Tip
*Schrijf ideeën voor spelletjes op papier, verstop dit
onder de sneeuwpoppen en kies zo uit
welk spel wordt gespeeld.*

## Rietje
Stans sneeuwsvlokken uit karton en
plak deze op een rietje vast. U kunt
ook een gaatje in de sneeuwvlokken
stansen en het rietje erdoor prikken.

## Sneeuwballenschaal
Net zoals het snoepbakje op blz. 18 maakt u deze
schaal door eerst een ballon te beplakken met
krantenpapier. Knip de bovenrand recht af. Verf de
schaal wit en laat hem drogen. Maak een ring van
een reep gekleurd karton van 30 x 1,5 cm en zet
deze als steun onder de sneeuwbal. Versier de
sneeuwbal met glitterpen. Plak ook de uitgestanste
sneeuwvlokken op de schaal.

## Slinger
Maak zoals op blz. 30 is beschreven papieren
sneeuwvlokken. Rijg wattenbolletjes aan een katoenen draad en wissel ze af met de sneeuwvlokken.
Knoop deze hangers aan de slingerlijn en versier
ook de lijn zelf met watten.

## Sneeuwpoppen
- Knutselkarton wit, oranje
- Metallic pompons, 15 mm Ø

## Rietje
- Fotokarton met kerstmotief
- Stansvorm Sneeuwvlok
  3,5 cm Ø
- Rietje

## Sneeuwballenschaal
- Ballon
- Krantenpapier
- Behangplaksel
- Fotokarton met kerstmotief
- Stansvorm Sneeuwvlok
  3,5 cm Ø
- Glitterpen zilver
- Acrylverf wit

## Slinger
- Kopieerpapier wit
- Watjes
- Haakkatoen wit

*Sjabloondelen 7a-7c,
sjabloonvel B*

31

Een uitgave van DE LANTAARN

Oorspronkelijke titel: Geburtstage für Mädchen

World rights reserved by Christophorus Verlag
GmbH & Co. KG, Freiburg/Germany

Oorspronkelijke uitgave © 2012 Christophorus
Verlag GmbH & Co. KG, Freiburg
Foto's en styling: Michael Altmeyer, Werl
Omslagontwerp: GrafikwerkFreiburg

© 2012 De Lantaarn b.v., Soest

www.uitgeverijdelantaarn.nl

Vertaling: Ammerins Moss-de Boer/Vitataal
Redactie en productie: Vitataal
Opmaak: Studio Spade

www.uitgeverijdelantaarn.nl

# Inhoud

**Leveranciers van de gebruikte materialen**
*Buntpapierfabrik Ludwig Bähr GmbH &
Co. KG, Kassel
Rayher Hobby GmbH, Laupheim*